石門頌

中國碑帖名品［九］

上海書畫出版社

U0101958

《中國碑帖名品》編委會

編委會主任
盧輔聖　王立翔

編委（按姓氏筆畫爲序）
王立翔　沈培方
胡傳海　孫稼阜
張偉生　馮　磊
盧輔聖

本册責任編輯
馮　磊

本册釋文注釋
俞　豐

本册圖文審定
沈培方

前言

中華文明綿延五千餘年，文字實具第一功。從倉頡造字而雨粟鬼泣的傳說起，歷經華夏子民智慧聚集，薪火相傳，終使漢字生生不息，蔚爲壯觀。伴隨著漢字發展而成長的中國書法，基於漢字象形表意的特性，在一代又一代書寫者的努力之下，最終超越其實用意義，成爲一門世界上其他民族文字無法企及的純藝術，并成爲漢文化的重要元素之一。在中國知識階層看來，書法是中國人『澄懷味象』、寓哲理於詩性的藝術最高表現方式，她净化、提升了人的精神品格，歷來被視爲『道』『器』合一。而事實上，中國書法確實包羅萬象，從孔孟釋道到各家學說，從宇宙自然到社會生活，中華文化的精粹，在其間都得到了種種反映，對漢字美的不懈追求，多樣的書家風格，則愈加顯示出漢字的無窮活力。那些最優秀的『知行合一』的書法家們是中華智慧的實踐者，他們彙成的這條書法之河印證了中華文化的發展。

書法無愧爲中華文化的載體。書法又推動了漢字的發展，篆、隸、草、行、真五體的嬗變和成熟，源於無數書家承前啓後、對漢字書寫的退化，或許是書法之道出現踟躕不前窘狀的重要原因，因此，有識之士深感傳統文化有『迷失』、『式微』之虞。書法藝術的健康發展，有賴對中國文化、藝術真諦更深刻的體認，彙聚更多的力量做更多務實的工作，這是當今從事書法工作的專業人士責無旁貸的重任。

因此，學習和探求書法藝術，實際上是瞭解中華文化最有效的一個途徑。歷史證明，漢字及其書法衝破了民族文化的隔閡和時空的限制，在世界文明的進程中發生了重要作用。我們堅信，在今後的文明進程中，這一獨特的藝術形式，仍將發揮出巨大的力量。然而，在當代這個社會經濟高速發展，不同文化劇烈碰撞的時期，書法也遭遇前所未有的挑戰，而今人對不同書體不同書家作品（包括新出土書迹）的深入研究，以書體遞變爲縱軸，以書家風格爲橫綫，遴選了書法史上最優秀的書法作品彙編成一百册，再現了中國書法史的輝煌。

有鑒於此，上海書畫出版社以保存、傳播最優秀的書法藝術作品爲目的，承繼五十年出版傳統，出版了這套《中國碑帖名品》叢帖。該叢帖在總結本社不同時段字帖出版的資源和經驗基礎上，更加系統地觀照整個書法史的藝術進程，彙聚歷代尤其是今人對不同書體作品的深入研究，以書體遞變爲縱軸，以書家風格爲橫綫，遴選了書法史上最優秀的書法作品彙編成一百册，再現了中國書法史的輝煌。

爲了更方便讀者學習與品鑒，本套叢帖在文字疏解、藝術賞評諸方面做了全新的嘗試，使文字記載、釋義的屬性與書法藝術造型、審美的作用相輔相成，進一步拓展字帖的功能。同時，我們精選底本，并充分利用現代高度發展的印刷技術，精心校核，原色印刷，效果幾同真迹，這必將有益於臨習者更準確地體會與欣賞，以獲得學習的門徑。披覽全帙，思接千載，我們希望通過精心編撰、系統規模的出版工作，能爲當今書法藝術的弘揚和發展，起到綿薄的推進作用，以無愧祖宗留給我們的偉大遺産。

上海書畫出版社

簡介

《石門頌》，全稱《漢司隸校尉楗爲楊君頌》，又稱《楊孟文頌》。東漢桓帝建和二年（一四八）十一月刻於陝西省襄城縣古褒斜道的南端（東北褒斜谷之石門隧道的西壁上）。漢中太守王升撰文，主要贊頌了東漢順帝初年司隸校尉楊孟文上疏請求修褒斜道及修通褒斜道的功績。刻寫面高二百六十一釐米，寬二百零五釐米。一九六七年因石門所在地修建水庫，故將此及其他摩崖石刻從崖壁上鑿出，一九七一年移至漢中市博物館。《石門頌》爲漢隸中奇縱恣肆一路的代表，放纵舒展、參差錯落、縱橫開闔、意态飘逸，素有『隸中草書』之稱，對後世影響極大。與甘肅成縣《西狹頌》、略陽《郙閣頌》并稱爲『漢三頌』。是東漢隸書的極品。

今選用之本爲上海童衍方先生所藏明代精拓本，曾经清代金石学家張廷濟舊藏。此册前有張廷濟及陸恢題簽，後有翁同龢及俞宗海跋尾，係首次原色全本影印。

惟巛靈定位川澤股躬澤有所注川有所通余谷之川其澤南隆八方所達益
域為充
高祖受命興於漢中道由子午出散入秦建定帝位以漢氏焉後
以子午塗路澀難更隨圍谷復通堂光凡此四道垓鬲尤艱至於永
平詔書開余鑿通石門中遭元二西夷虐殘橋梁斷絕子午復循上則縣峻
屈曲流顛下則入冥廎寫輸淵平阿湶泥常蔭鮮晏木石相距利磨确盤臨危
槍碭履尾心寒空輿輕騎滯礙弗前惡蟲蔽狩蛇蛭毒蟃未秋截霜稼苗夭殘
終年不登匱餧之患卑者楚惡尊者弗安愁苦之難焉可具言於是明知故司
隸校尉楗為武陽楊君厥字孟文深執忠伉數上奏請有司議駮君遂執爭百
遼咸從帝用是聽廢子由斯得其度經功飭爾要敞而晏平清涼調和烝烝艾
寧至建和二年仲冬上旬漢中太守楗為武陽王升字稚紀涉歷山道推序本
原嘉君明知美其仁賢勒石頌德以明厥勳其辭曰

【整拓右半部】

原嘉君明和美年□□□□□□
延彼明和孔公坤□明麻邕
痛無婦義交媛彌老□過拾遺萬清□□□□
紀綱言文忠義匡武交字静丞庶政�ᵕ荒未勤□□
動省榮弟鑒飛聞君更更章順弱大町謹與乾通輔□□
榮康玉悅頹逝□上順外機朩谷明心暴自勤承杓綏德都君□
廣寧朗茨倉掾鄣難劇傷府庚夫道發乘危所屬勤身妃場暴章與□禮☐南尙
遺謫諱字公孫中電謹進定軍宅族既服字賜城男夫謫常以海按通冤□☐
☐應難屏中曹昌所居署開王軍固安暘□□□□□遭揭王卽日茂署所□□君闕自退□ᵕ交字静丞麻□□
☐廣☐☐☐☐☐☐☐☐☐☐☐☐☐☐☐☐☐☐☐☐

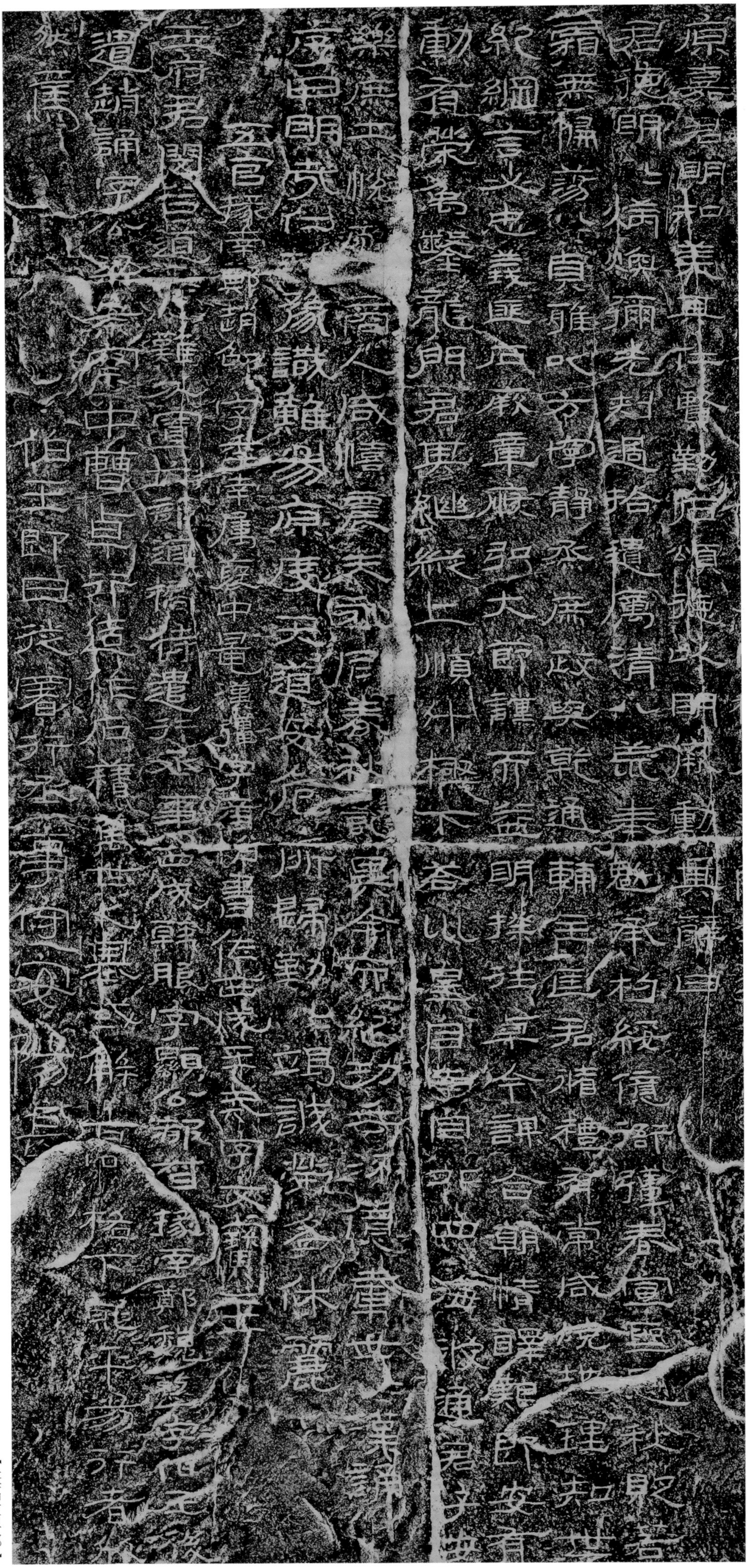

【整拓左半部】

漢石门頌

海鹽吳進以方精裝

嘉興張廷濟叔未珍貯

道光癸卯冬日

明拓漢石門頌

辛丑四月裱竟

吳江陸恢

巛：即『坤』。《說文解字》：『巛，地也。』《廣韻》：『坤，古文巛。』按，『乾』指天，『坤』指地。『巛』的字形當是由八卦中『坤』卦的卦象演化而來。漢碑中『坤』字多作『巛』。

惟巛靈定/位，川澤股/

躬：通『肱』。股躬：即股肱，大腿和胳膊。

躬。澤有所╱注，川有所╱

余：『斜』的古字，歐陽修《集古録》卷三云：『以余爲斜，漢人皆爾。』斜谷，即褒斜谷。『斜谷之川』，指褒水（今褒河）與斜水（今石頭河）。碑中將斜水與褒水合稱。

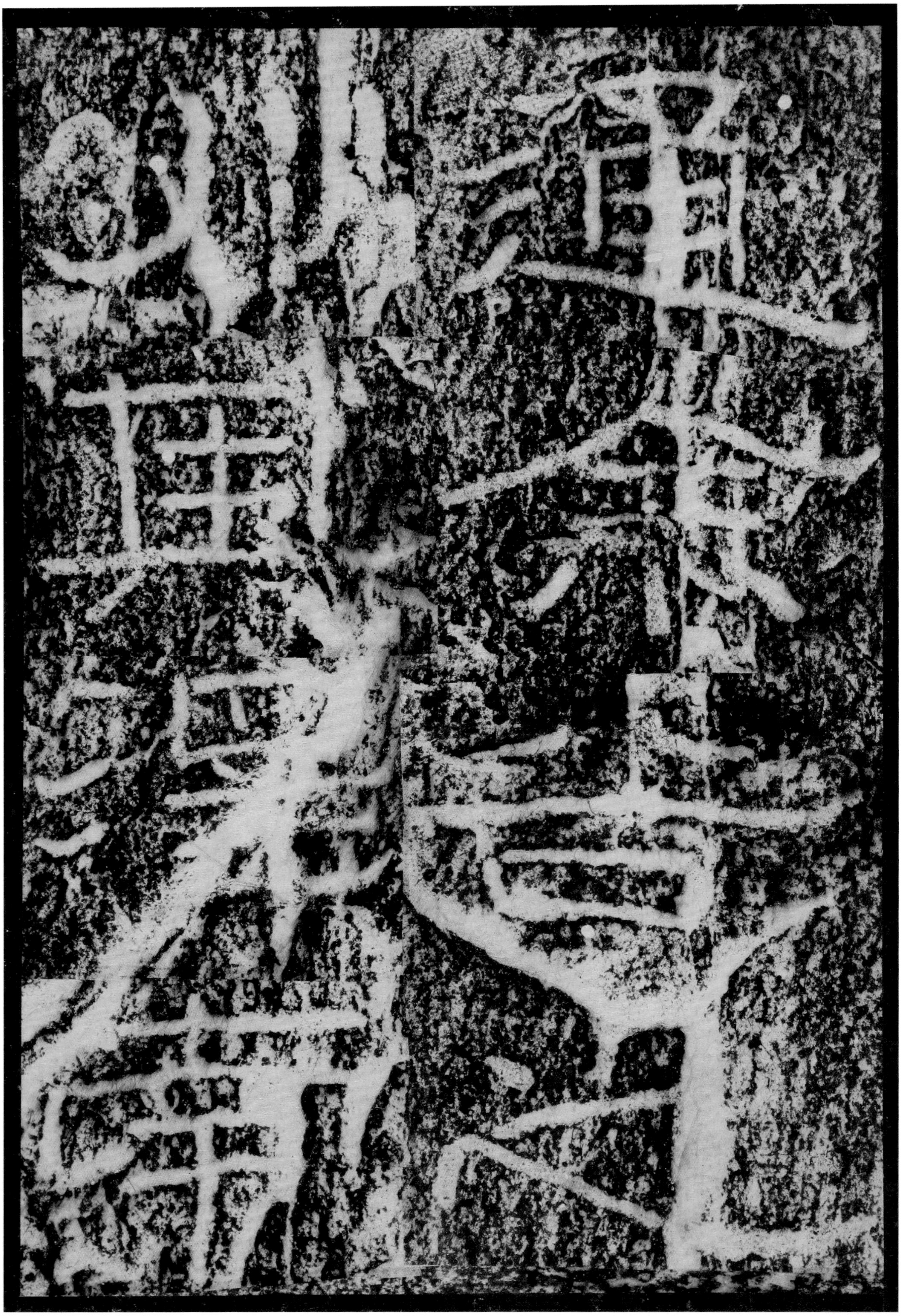

通。余谷之／川，其澤南／

隆：《説文》：『隆，豐大也。』此處形容二水南流，水勢豐沛。

益域：即益州。此處泛指四川巴蜀地區。

隆。八方所/達，益域爲/

充。高祖／受命，興／

漢中道：指漢中至秦川的通道共四條，由東到西分別是子午道、儻駱道、褒斜道和陳倉道，故下文稱『凡此四道』。

子午：即子午道，又稱子午谷，全長四百二十公里。北口在長安縣，叫子口；南口在洋縣，叫午口。

於漢中。道/由子午，出/

散：指散關，又稱大散關。出散關，即可進入秦地。

散入秦，建／定帝位，以／

漢詆焉。後╱以子午，塗╱

塗：通『途』。

歮：同『澀』。歮難：道路艱難。

『圍谷』、『堂光』：皆地名。儻駱道北起西安的周至，南至漢中的洋縣；陳倉道北起寶鷄的陳倉，南至漢中勉縣。『圍谷』和『堂光』可能分別在此二道之上。

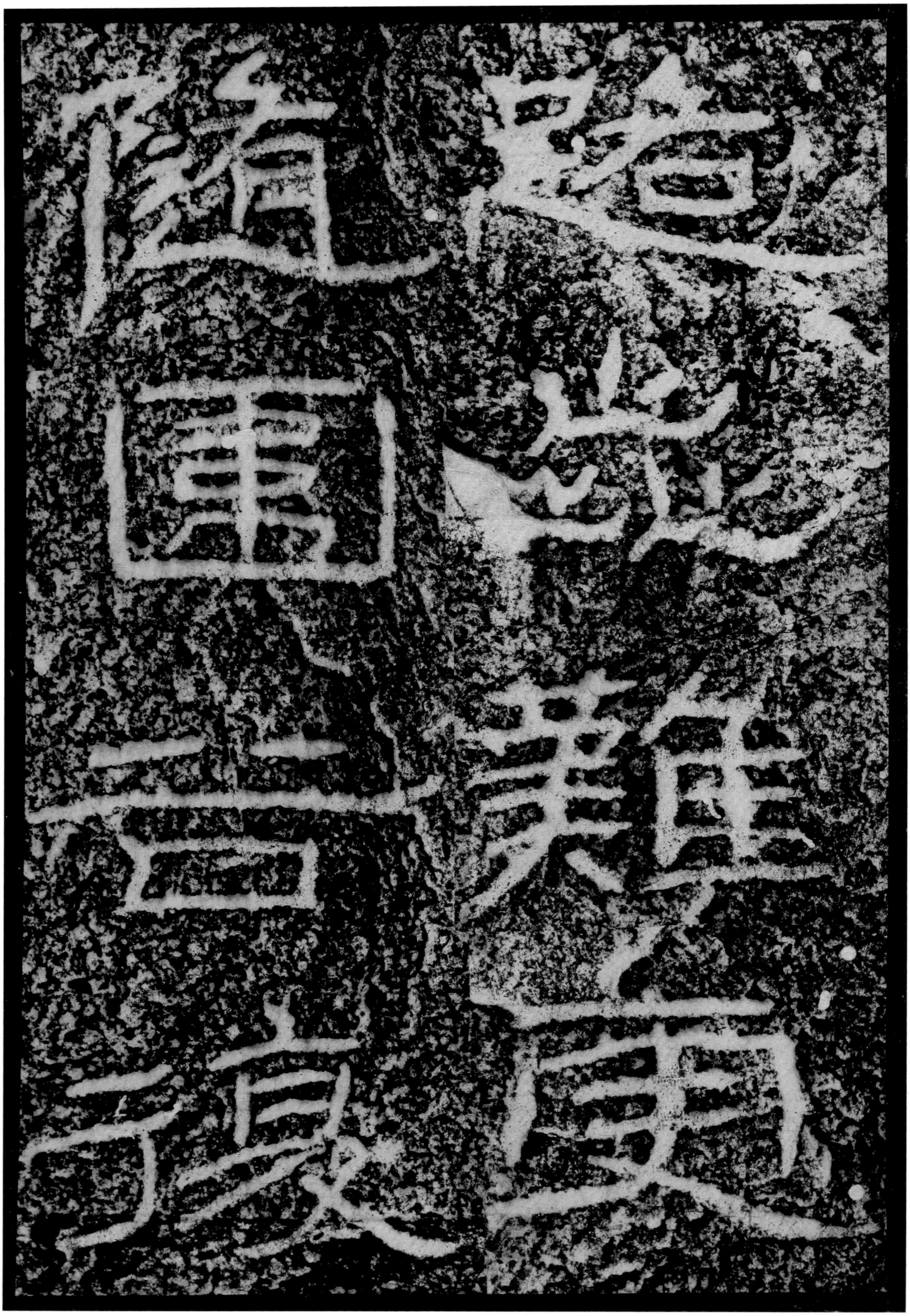

路歮難。更／隨圍谷，復／

垓：通『閡』。

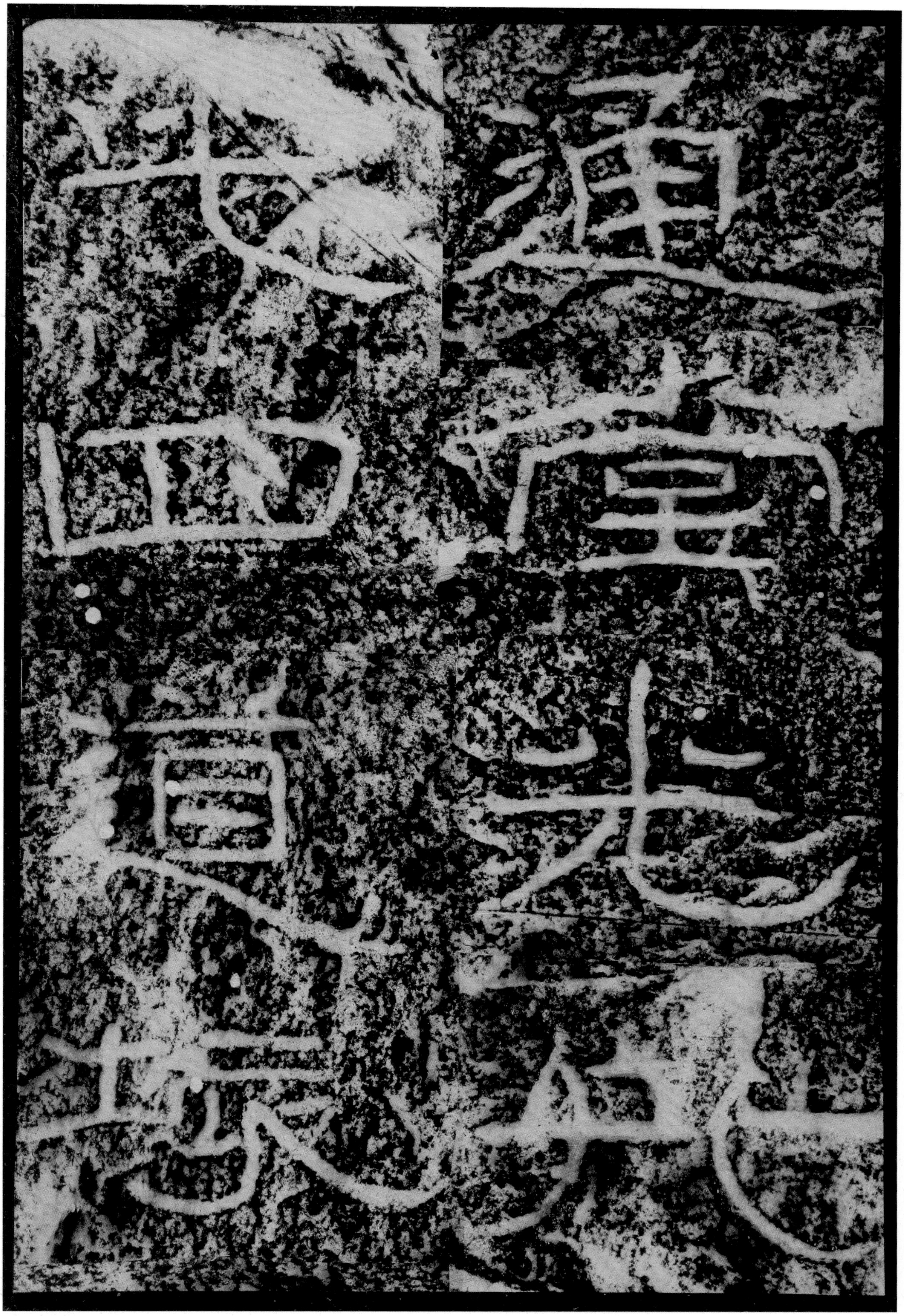

通堂光。凡／此四道，垓／

鬲：通「隔」。隔閡：阻隔不通。

永平：漢明帝年號。永平四年爲公元六十一年。

鬲尤艱。至／於永平，其／

關於永平四年下詔開鑿石門、開通褒斜道之事，史籍中未見記載。但漢《鄐君開通褒斜道》石刻云：『永平六年（六十三），漢中郡以詔書受廣漢、蜀郡、巴郡徒二千六百九十人，開通褒余（斜）道。』另，北魏《石門銘》亦有『此門蓋漢永平中所穿』的記載。

有四年。詔／書開余，鑿／

中遭元二：指安帝永初元年至二年（一〇七至一〇八）的西夷叛亂。《後漢書》卷十六《鄧騭傳》：『（永初元年）其夏，凉部畔羌，摇盪西州，朝廷憂之。』於是詔鄧騭將兵擊之，至冬班師。『時遭元二之灾，人士荒飢，死者相望，盗賊群起，四夷侵畔。』李賢注：『「元二」即「元元」也，古書字當再讀者，即於上字之下爲小「二」字，言此字當兩度言之。後人不曉，遂讀爲元二。』按，『元二』一詞，在後代指灾年厄運。但高文《漢碑集釋》認爲本意當即指元年、二年，後世纔演化爲灾厄之意。此從高文之説。

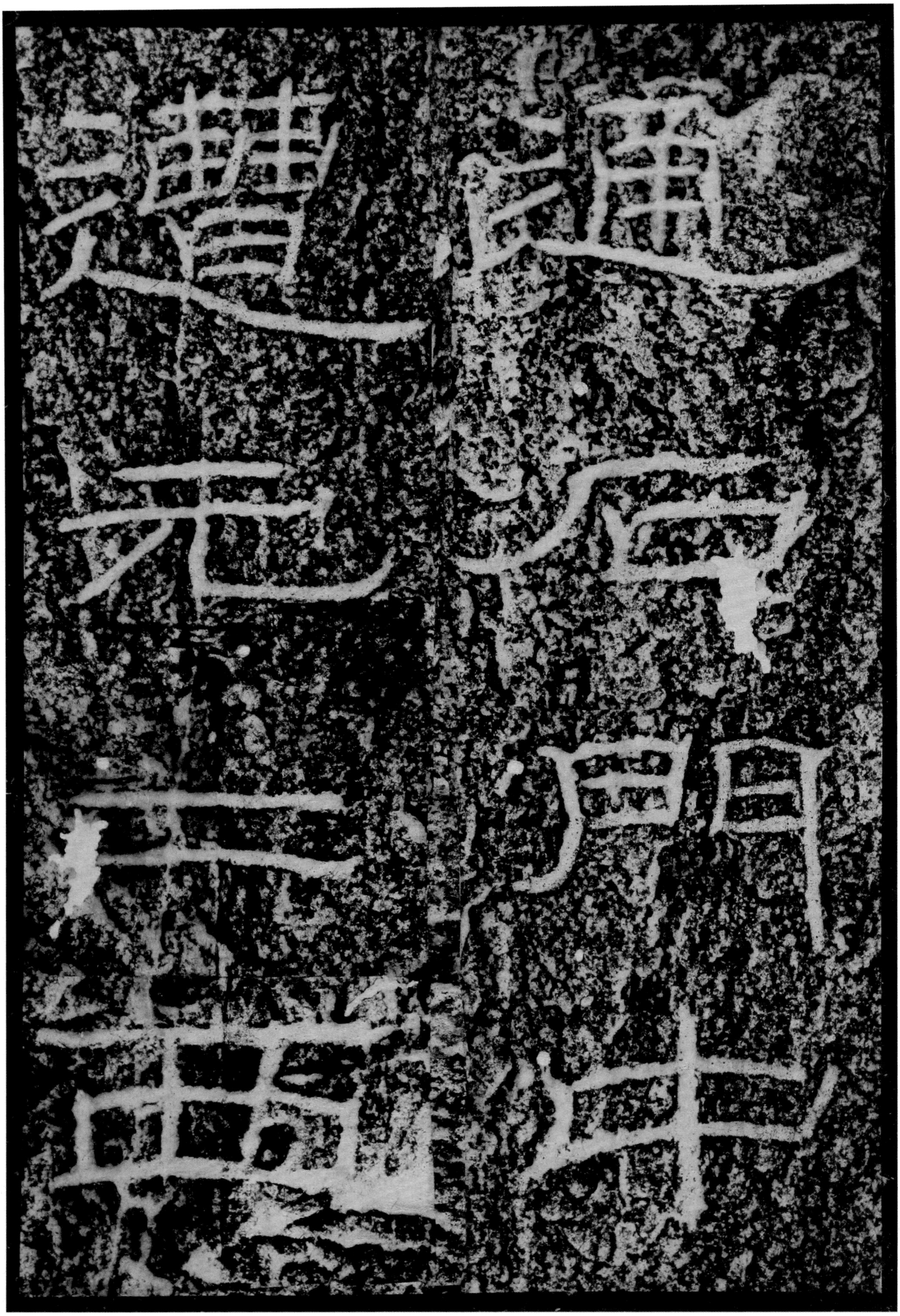

夷虐殘。橋／梁斷絕，子／

縣：『懸』的本字。

午復循。上／則縣峻，屈／

冥：昏暗。

廎：通『傾』。

曲流顛。下／則入冥，廎／

寫：『瀉』的本字。廎寫，即傾瀉。

阿：曲隅，角落。

湶：同『泉』。

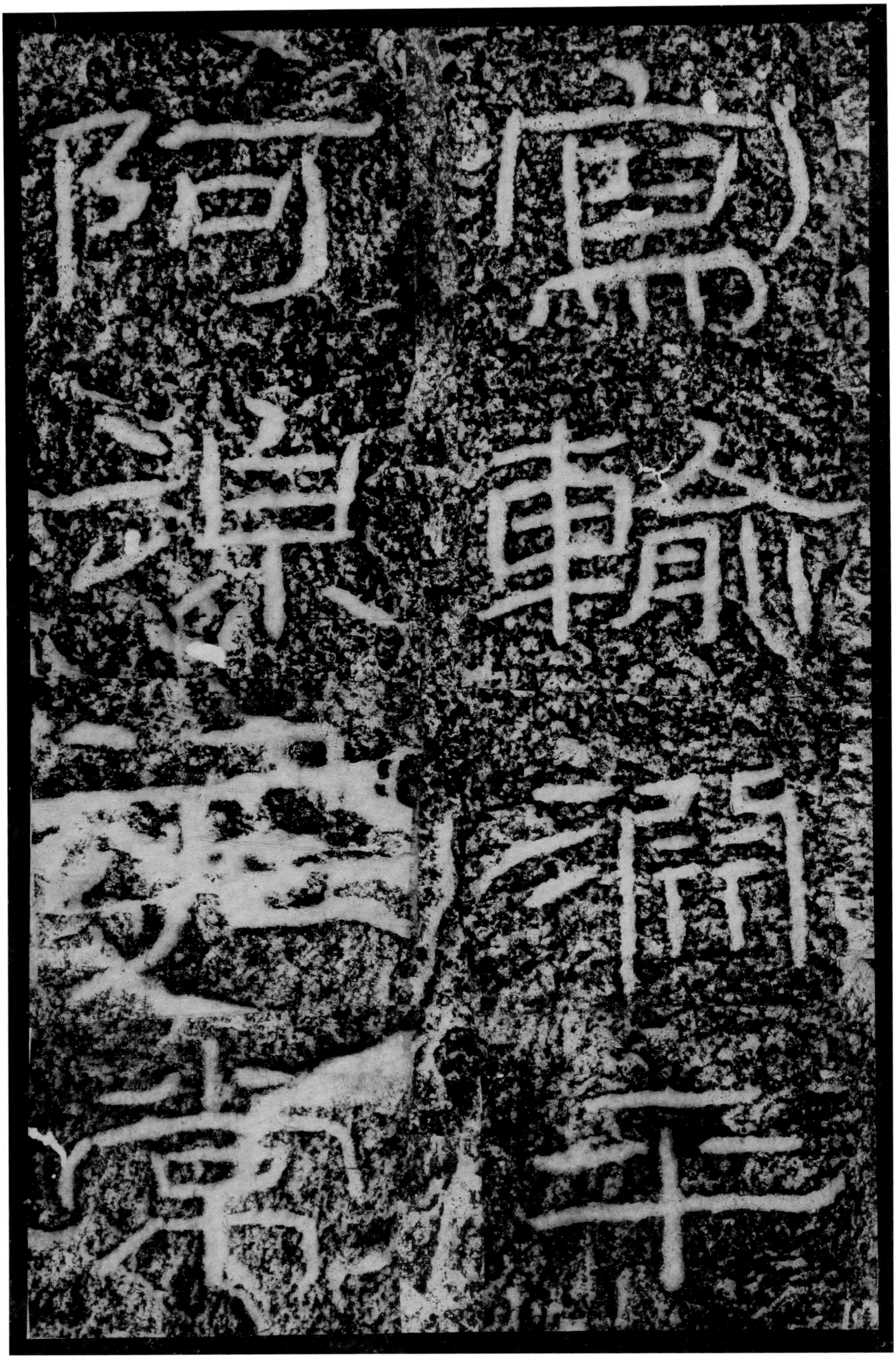

寫輸淵。平/阿湶泥，常/

蔭：通『陰』。

晏：晴暖。此處『晏』和『陰』相對。

距：通『拒』。

蔭鮮晏。木／石相距，利／

磨：通『摩』。利磨：意爲鋭利。形容『木石相距』之『木』。

确：堅。磐：大石。確磐：意爲石堅且大。形容『木石相距』之『石』。

槍碭：謂行動失去規範。王念孫《讀書雜志·漢隸拾遺》：『槍，音七羊反。碭，音唐。《説文》云：踼，跌踼也，一曰槍也。《廣韻》云，跌踼，行失正。踼與碭通。』

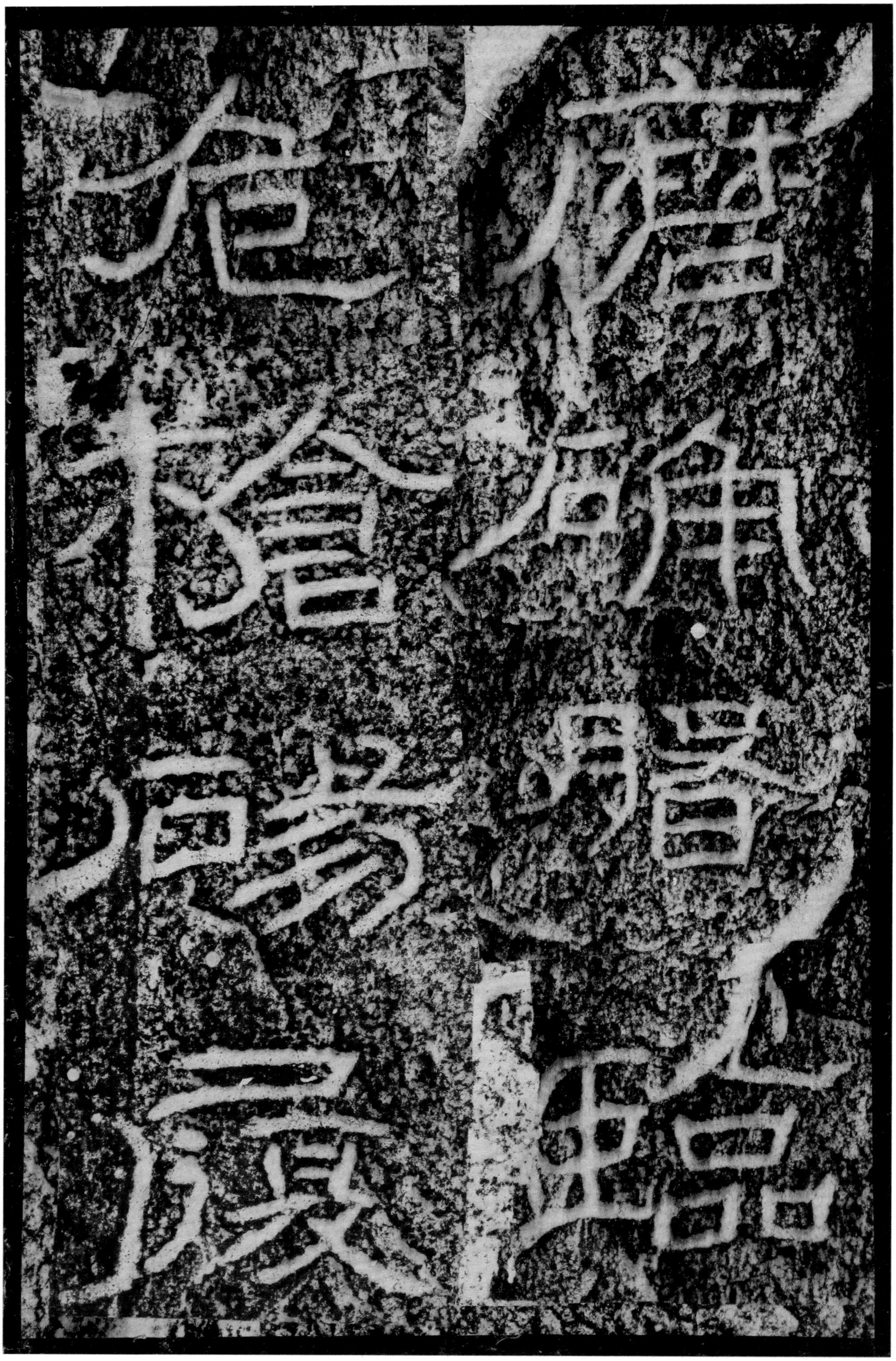

磨确磐。臨／危槍碭，履／

履尾：踩踏虎尾，比喻身蹈危境。《易·履》：『履虎尾，不咥人，亨。』王弼注：『履虎尾者，言其危也。』《晋書·袁宏傳》：『仁者必勇，德亦有言，雖遇履尾，神氣恬然。』

遰：通『滯』。

尾心寒。空／輿輕騎，遰／

㝵：同『礙』。

蔽：通『憋』，兇惡。

狩：通『獸』。

虵：同『蛇』。

㝵弗前。惡/蟲蔽狩，虵/

蛭：俗稱螞蟥，生活在淡水或潮濕處，能吸人畜的血，故俗以爲惡蟲。

蟃：原指蜈蚣蟲，此處通『萬』（從俞樾《讀漢碑》説），『萬』本義是蠍，象形字，甲骨文呈蠍子形，指毒蟲。

蛭毒蟃。未／秋截霜，稼／

匱：缺乏。

苗夭殘。終／年不登，匱／

餧：通『餒』，飢餓。

楚：痛苦。

餧之患。卑／者楚惡，尊／

者弗安。愁／苦之難，焉／

可具言。於／是明知故／

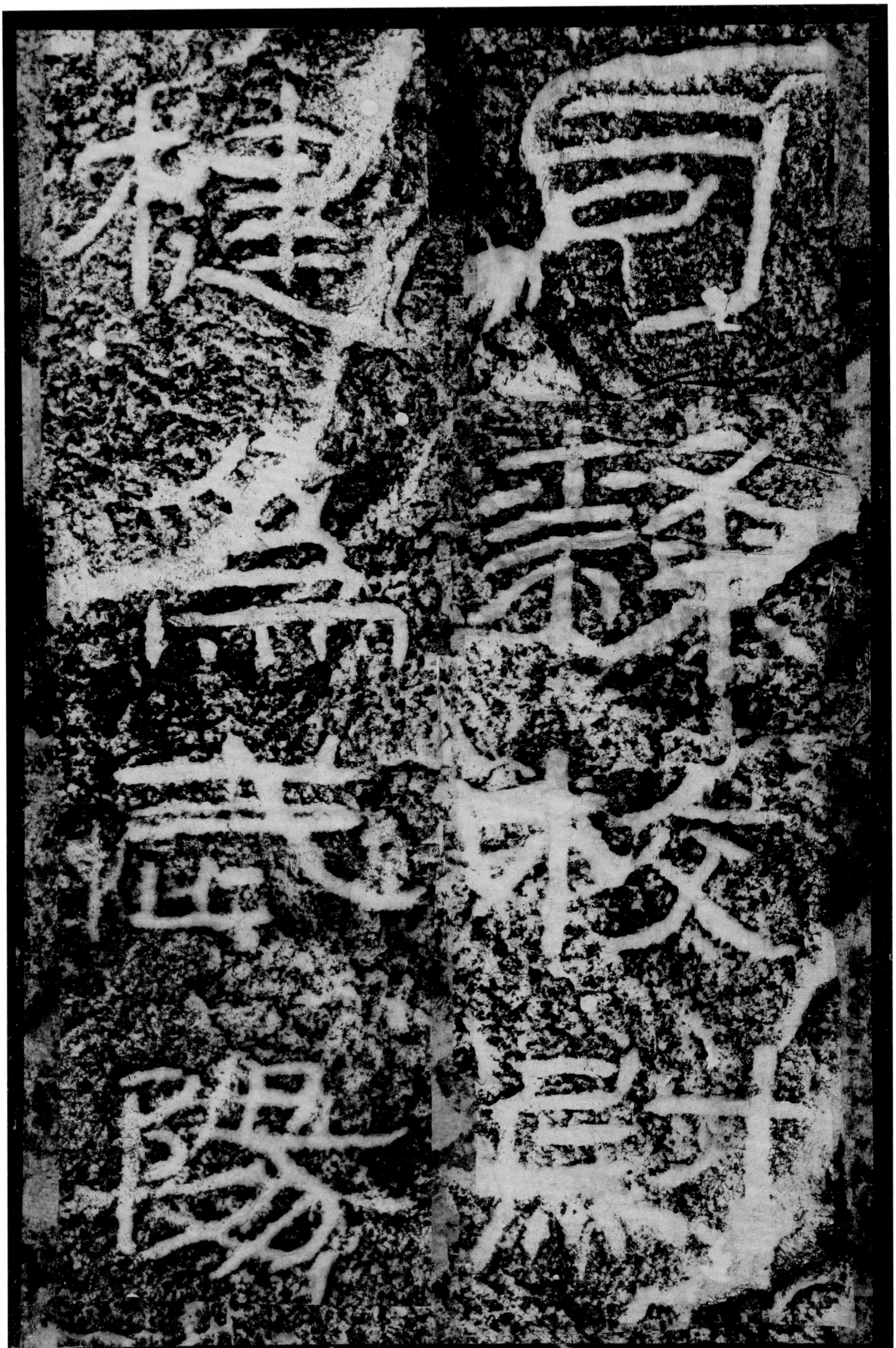

司隸校尉／楗爲武陽／

厥：其。

楊君，厥字／孟文，深執／

伉：强健，正直。

忠伉，數上／奏請。有司／

議駁，君遂／執争。百遼／

遼：通『僚』。百僚，即百官。

關於楊涣復請開通褒斜道的記載，見於《後漢書·順帝紀》，延光四年（一二五），『乙亥，詔益州刺史罷子午道，通褒斜路』。按，延光爲漢安帝年號。延光四年三月，安帝崩。十一月丁巳（初四），順帝即位。十一月乙亥（二十二日）下詔罷子午道，通褒斜路。明年始改元永建。據此可知，楊涣復通褒斜道的時間當在漢安帝延光四年十一月二十二日以後。

咸從，帝用／是聽。廢子／

飭：整治。

由斯，得其／度經。功飭／

晏：安。

爾要，敞而／晏平。清凉／

艾：通『乂』。乂寧，即安寧。

建和：爲東漢桓帝年號，建和二年爲一四八年。

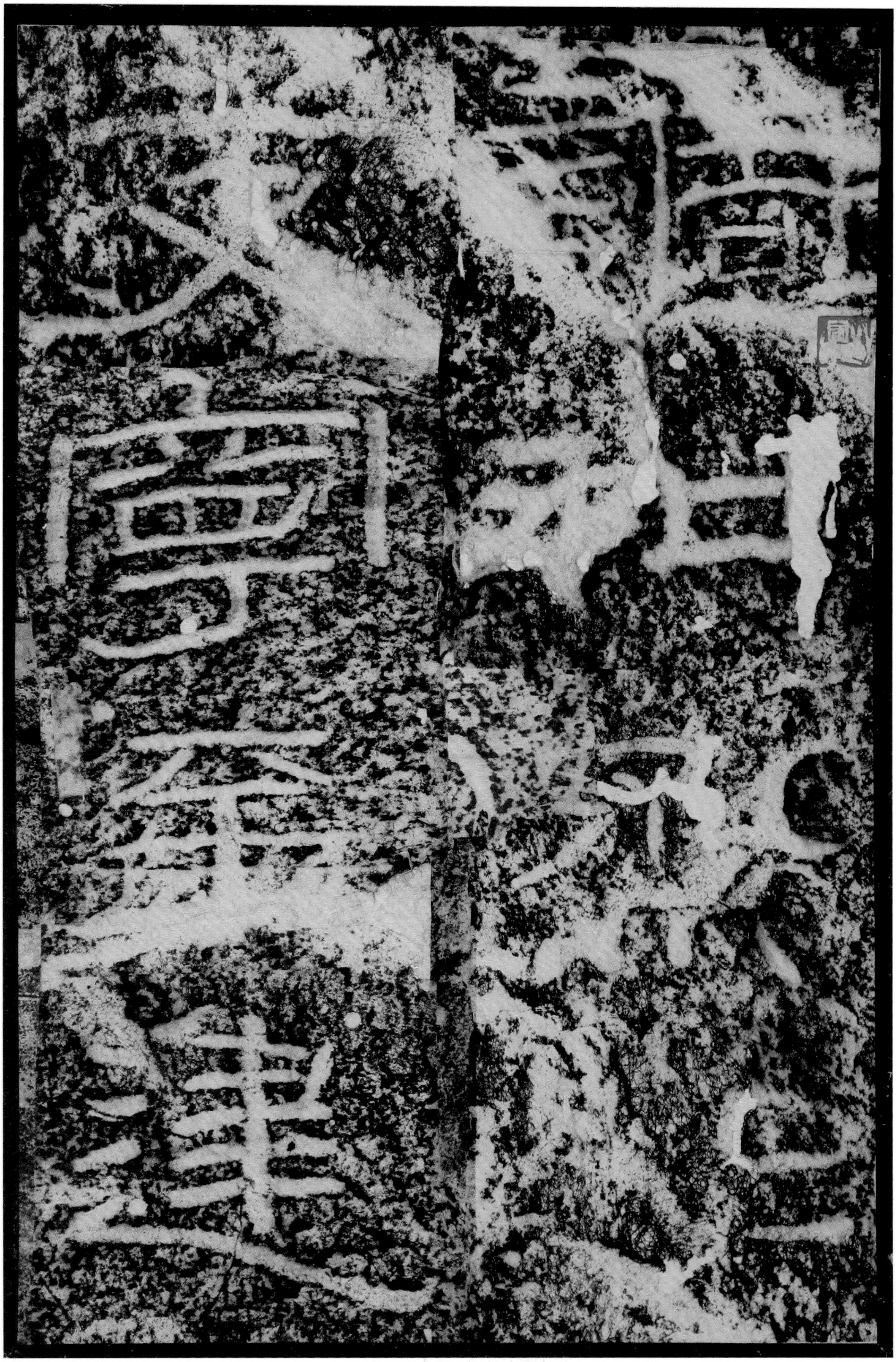

調和，烝烝／艾寧。至建／

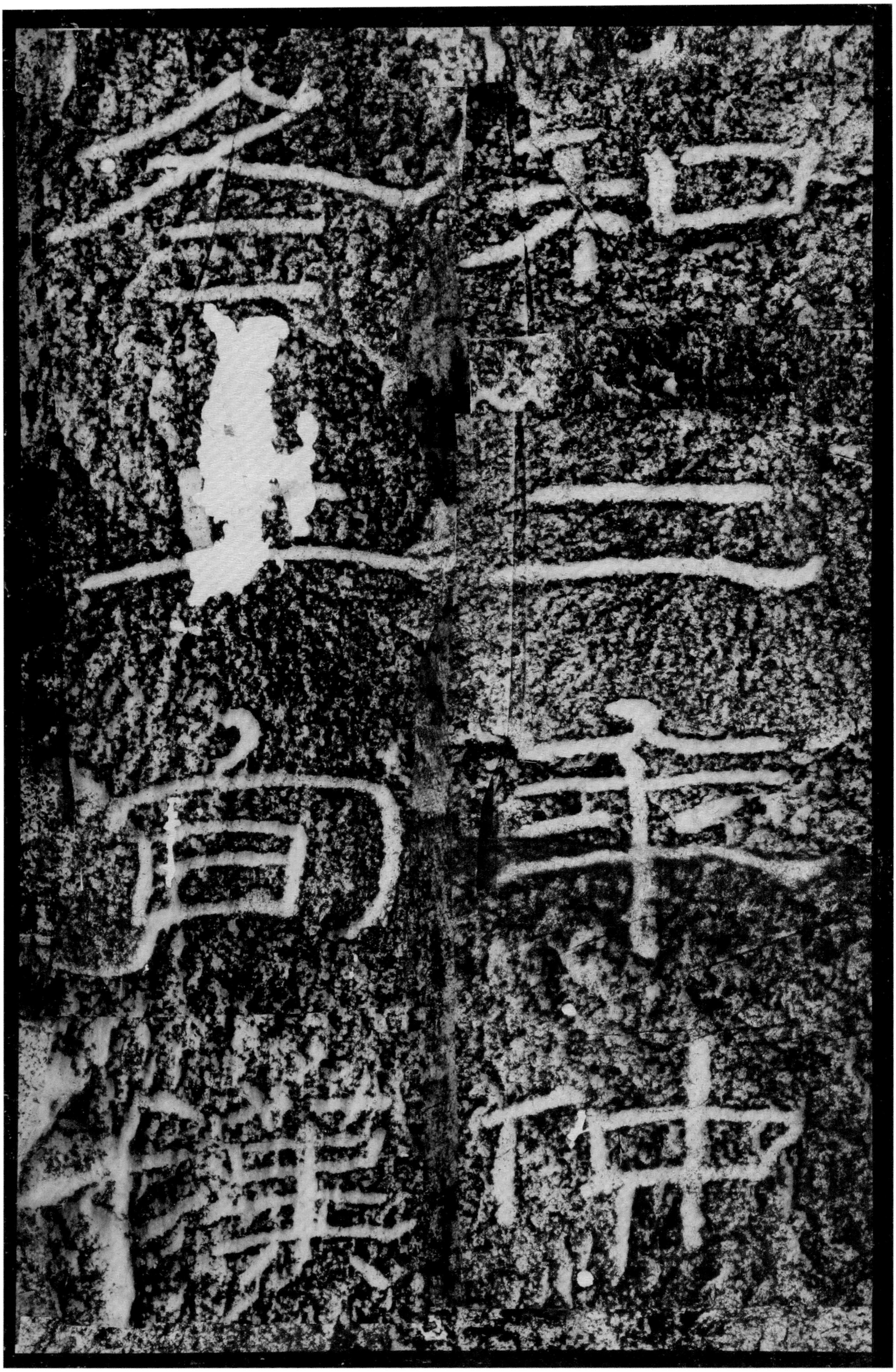

和二年，仲／冬上旬，漢／

中大守楗／爲武陽王／

升，字稚／紀，涉歷山／

道，推序本／原。嘉君明／

知，美其仁／賢。勒石頌／

德，以明厥／勳。其辭曰：／

炳焕彌光：形容光彩鲜明，英名顯著。

君德明明，／炳焕彌光。／

刺過：針砭別人的缺點過失。

拾遺：補正別人的缺點過失

刺過拾遺，〈厲清八荒。〉

奉魁承杓：北斗七星第一至第四爲『魁』，第五至第七爲『杓』。此句爲順從天道之意，與下文『上順斗極』同義。

綏、億：均爲安之意。

衙：通『禦』。

彊：通『强』。

禦、强：均爲强暴之意。

綏億衙彊：意爲安强服暴。

奉魁承杓，／綏億衙彊。／

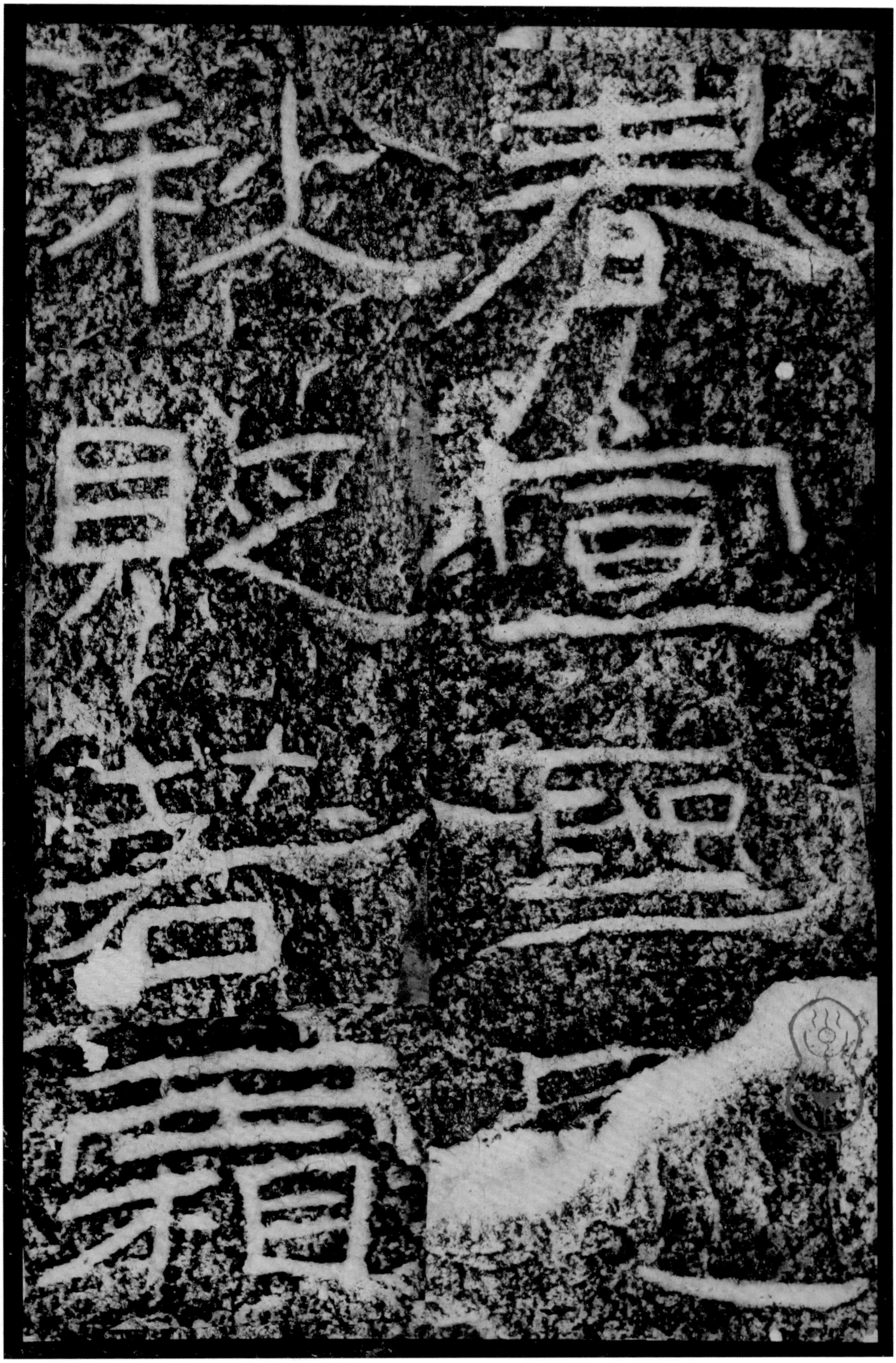

春宣聖恩，／秋貶若霜。／

《尚書·洪範》：『無偏無党，王道蕩蕩。』此處爲省文，意爲沒有偏私，不結私黨，坦坦蕩蕩。

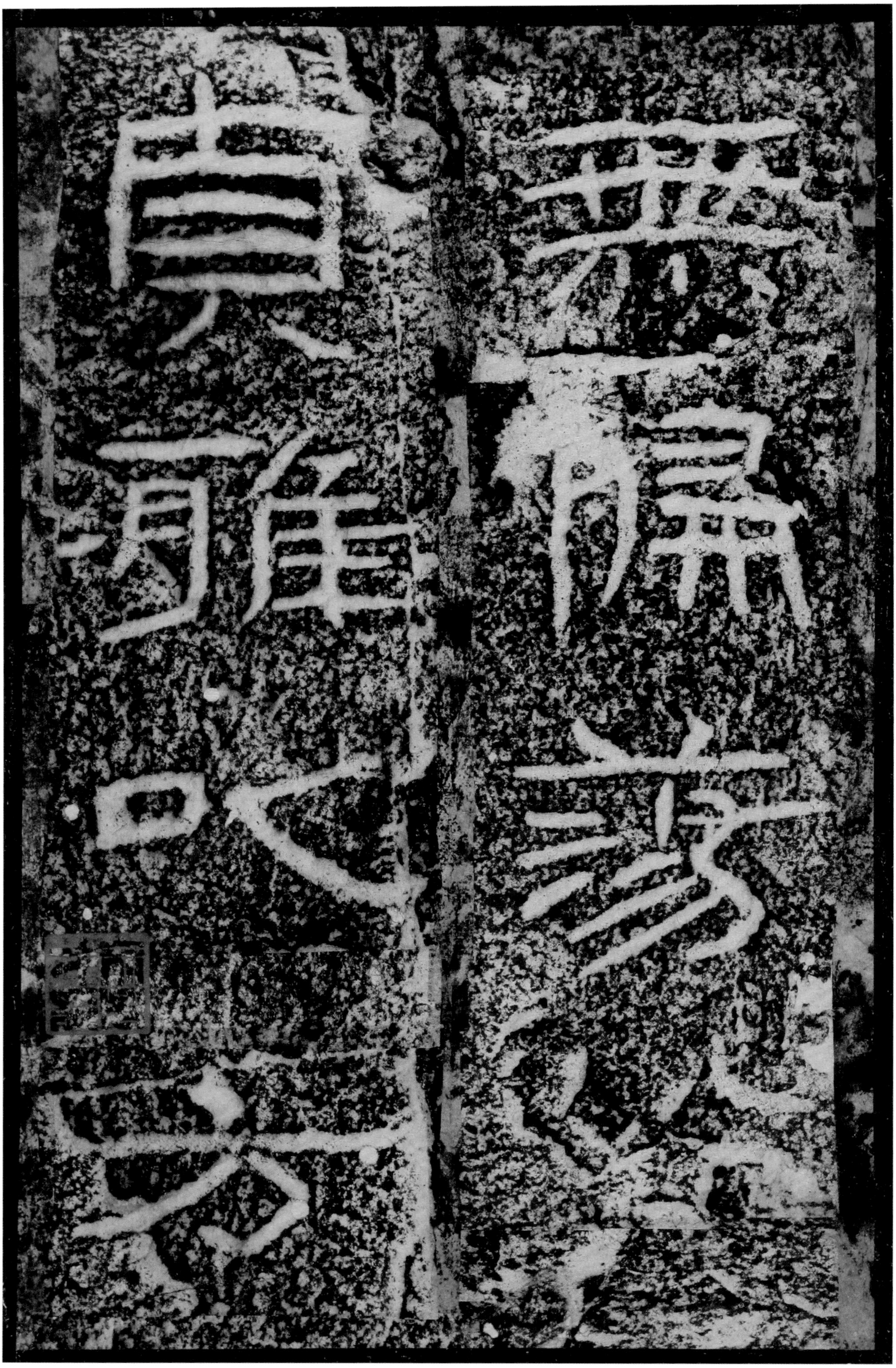

無偏蕩蕩，〈貞雅以方。〉

烝庶：黎民大衆。

寧静烝庶，/政與乾通。/

輔主匡君，／循禮有常。／

咸曉地理，／知世紀綱。／

匪石：《詩經·邶風·柏舟》：『我心匪石，不可轉也。』比喻意志堅定。

匪石厥章：意指不改變他的初衷。按，此句即指楊渙上奏請求重開褒斜道之事。

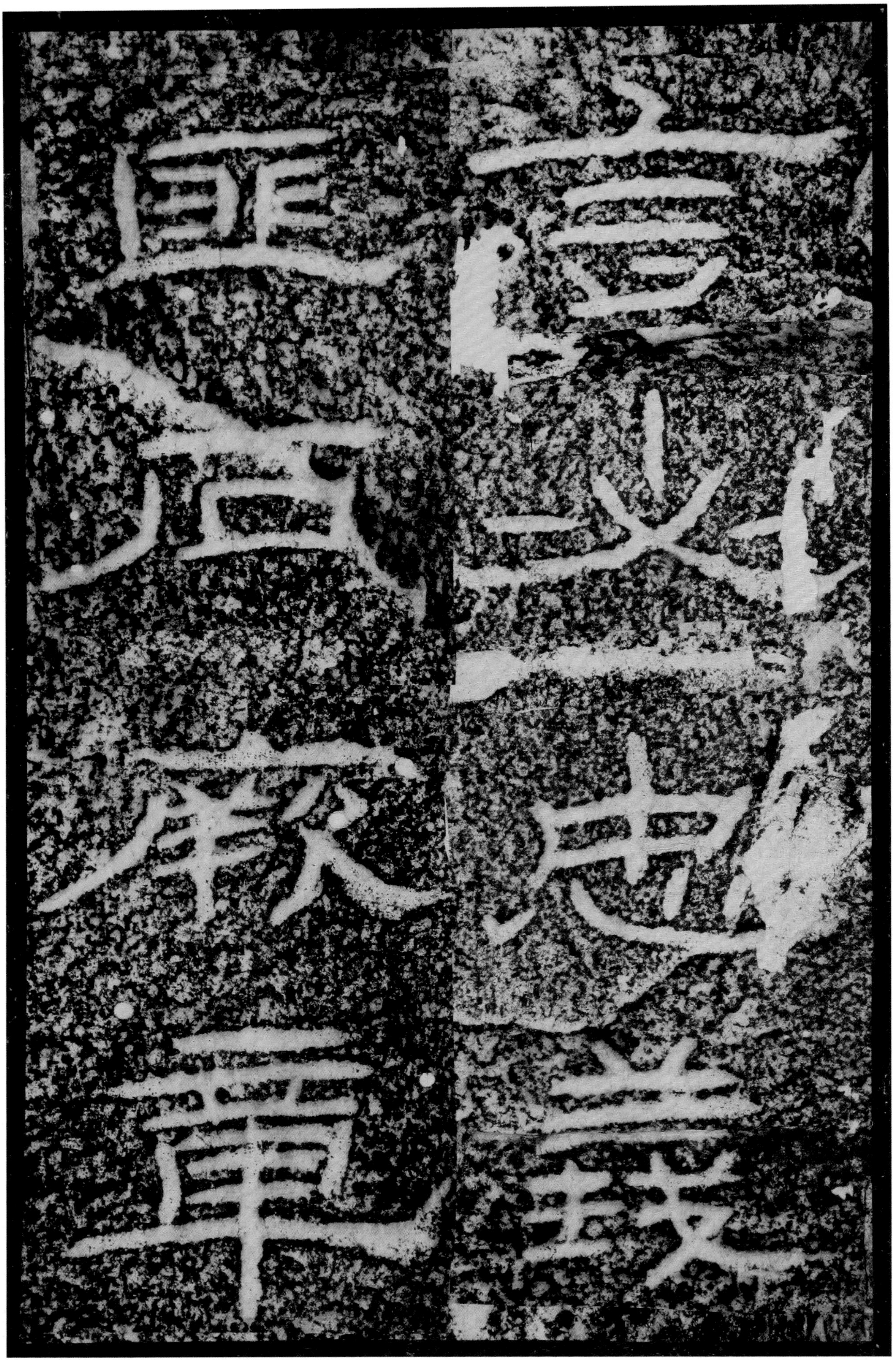

言必忠義，/匪石厥章。/

讜：正直的（言論）。

恢弘大節，（讜而益明。）

揆：揆度，揣測。

卓：明。

揆往卓今：意爲以古知今。

揆往卓今，「謀合朝情。」

釋艱即安，〈有勳有榮。〉

傳說大禹治水，開鑿龍門。《淮南子·修務訓》：『禹沐浴霪雨，櫛扶風，決江疏河，鑿龍門，闢伊闕。』

縱：通『蹤』。

禹鑿龍門，／君其繼縱。／

上順斗極，／下答巛皇。／

攸：放在動詞之前，構成名詞性片語，相當於『所』。

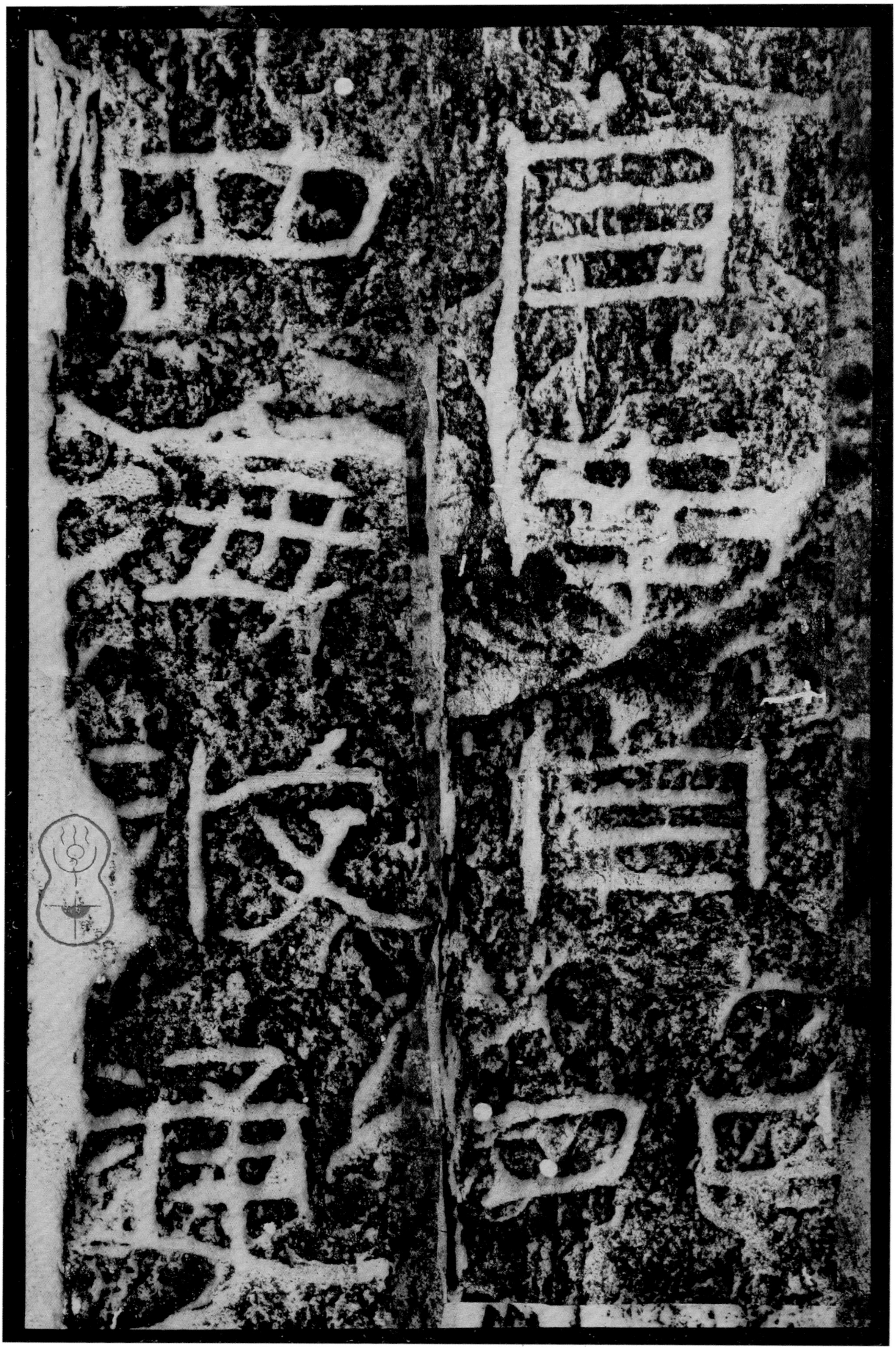

自南自北，／四海攸通。／

土：此是『士』字，漢碑中『士』多寫作『土』。

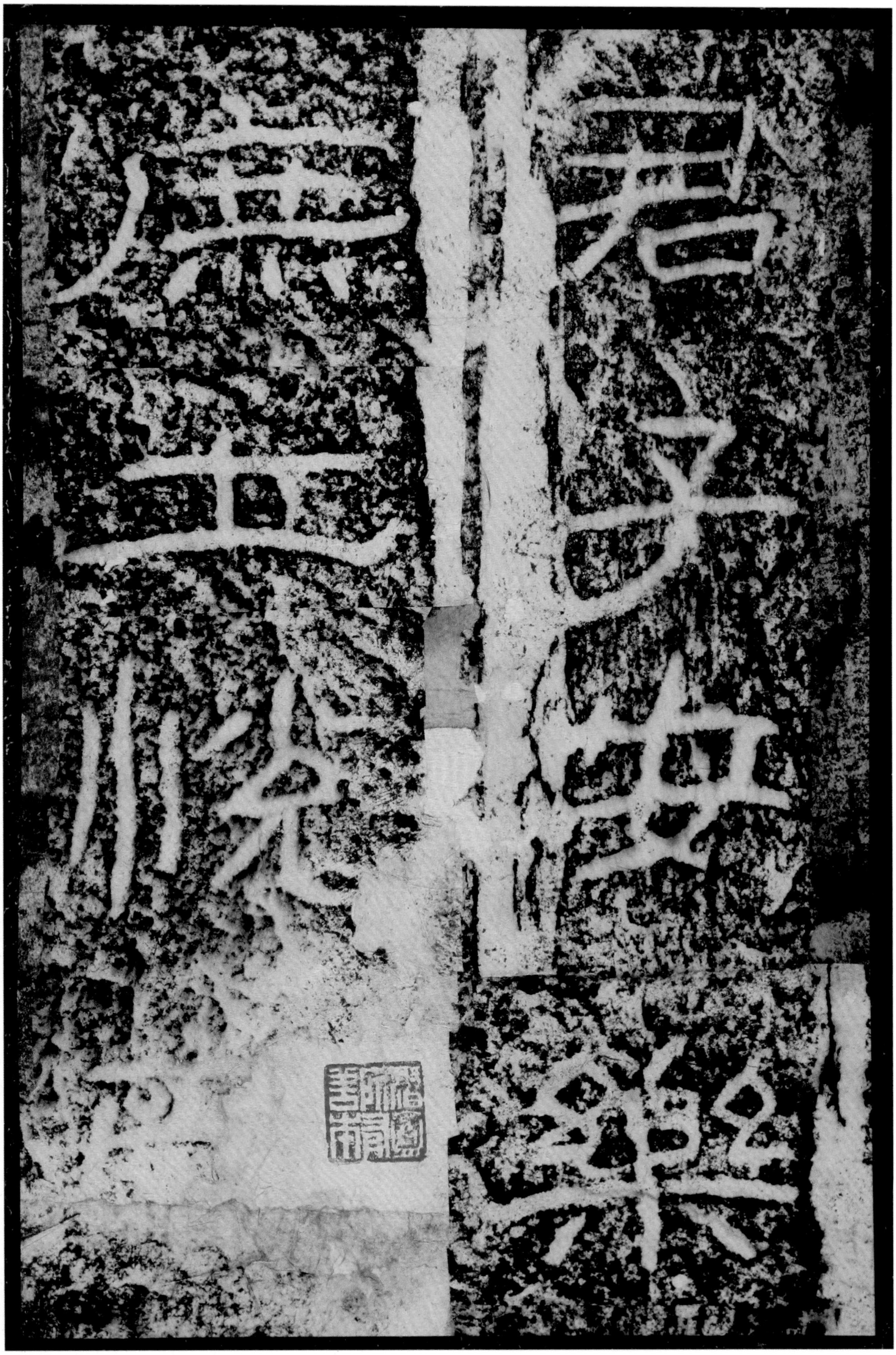

君子安樂，／庶土悅雍。／

憙：同『喜』，喜悦。

商人咸憙，〈農夫永同。〉

《春秋》之書，多記異事。《春秋公羊傳・文公二年》：『何以書？記異也。』

《春秋》記異，︿今而紀功。﹀

垂流億載，／世世嘆誦。／

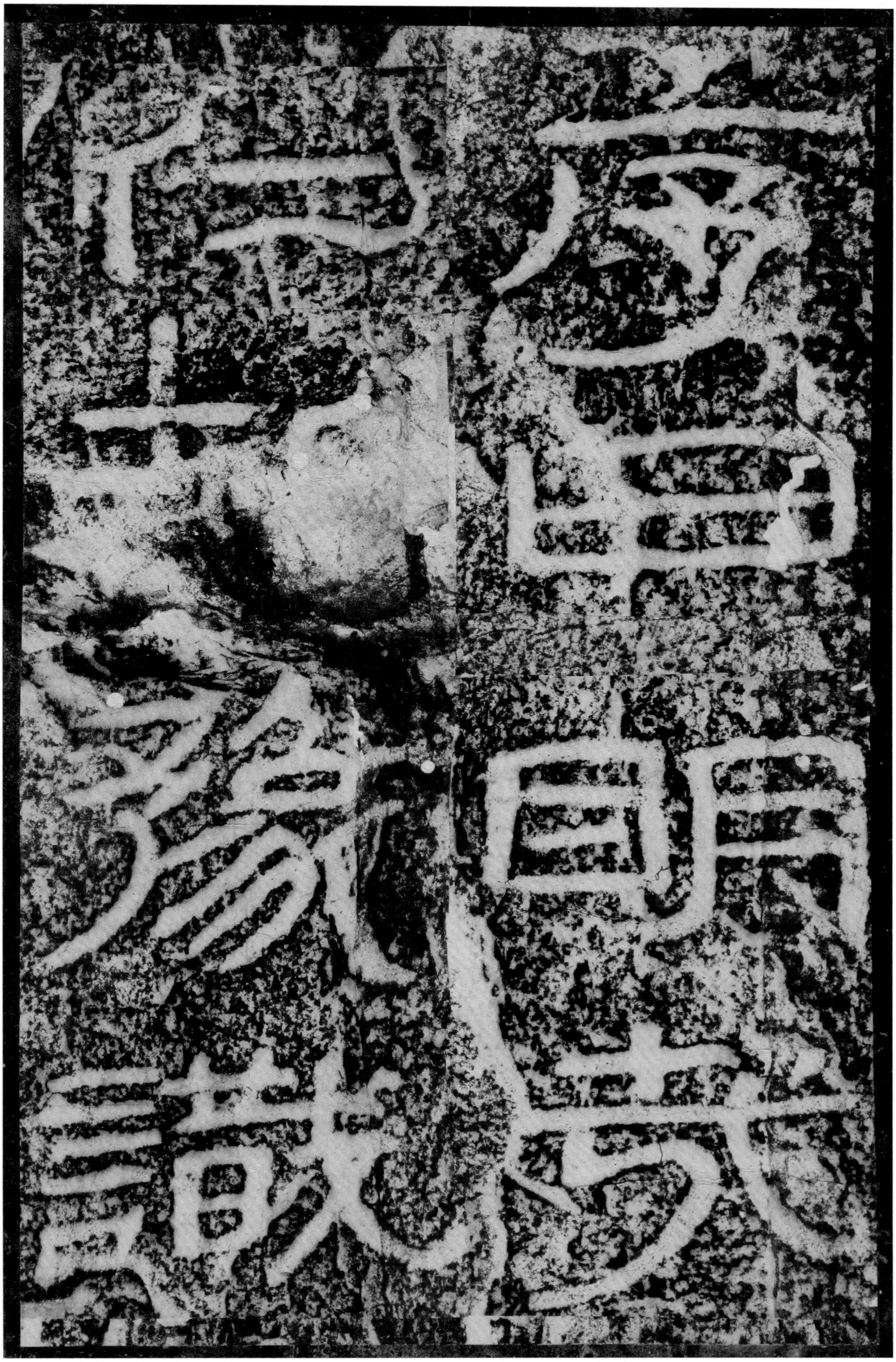

序曰：明哉／仁知，豫識／

原度：推原測度。

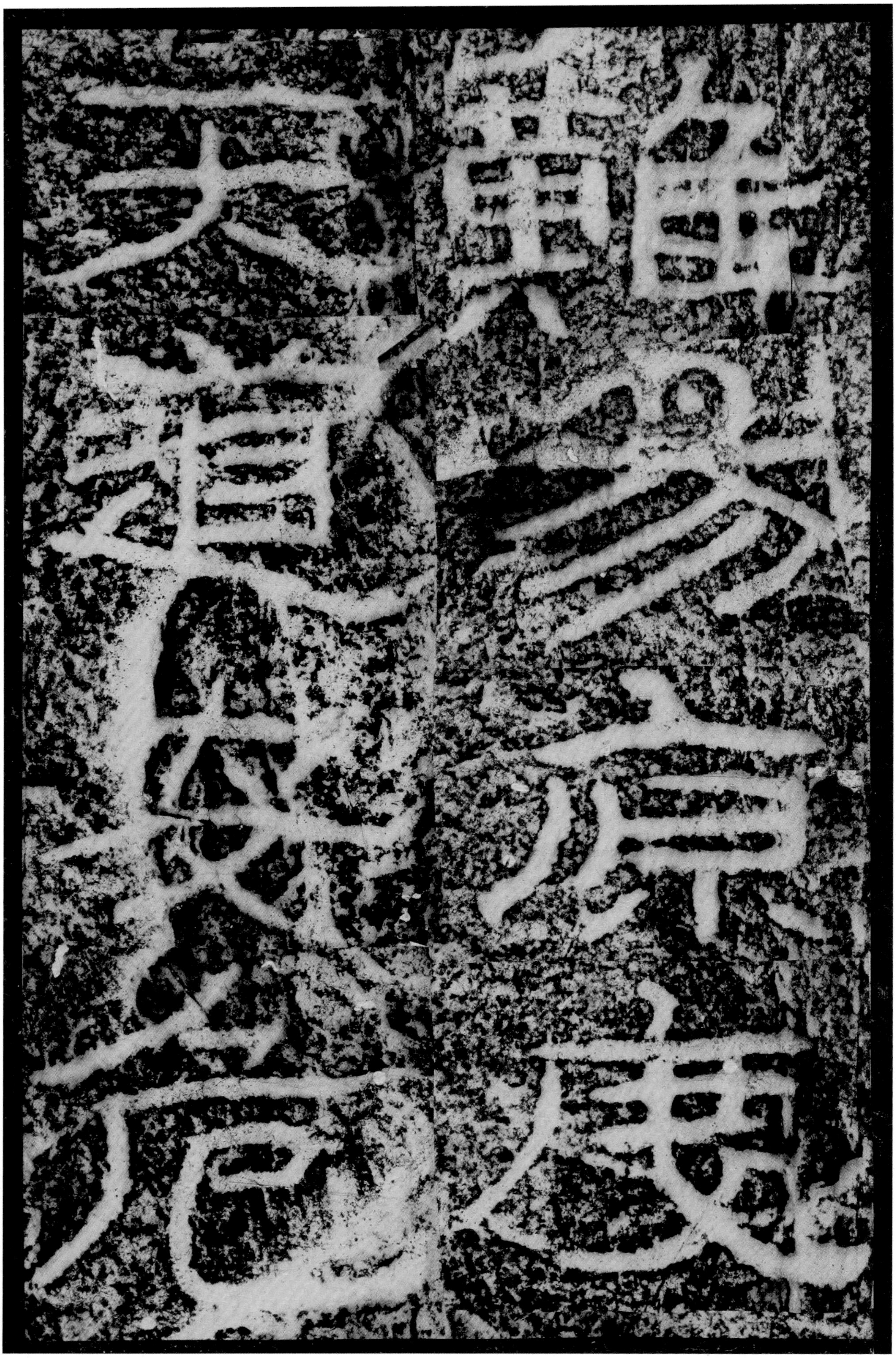

難易。原度／天道，安危／

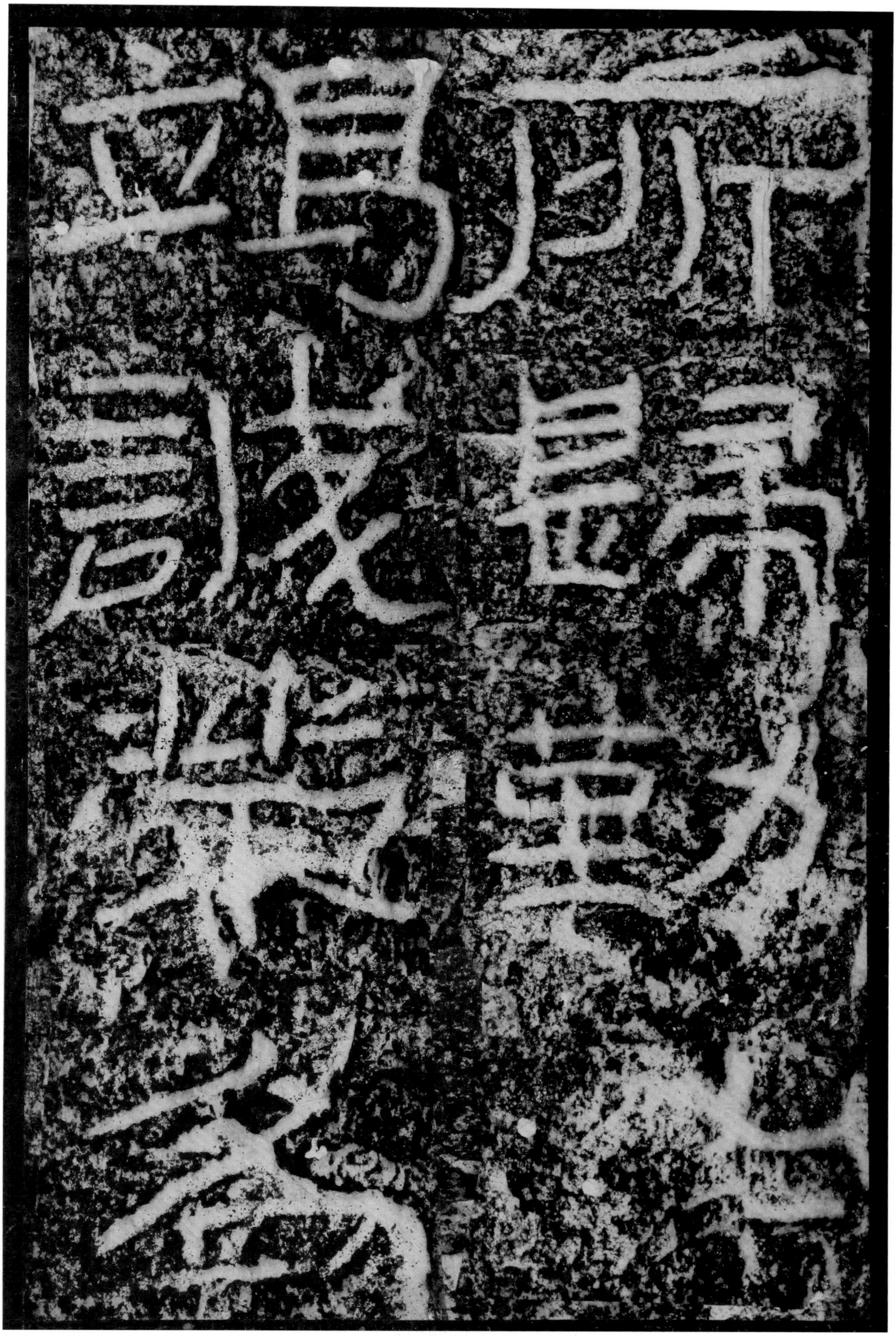

所歸。勤勤／竭誠，榮名／

休：美好，美善。

五官掾：州郡的屬官。

休麗。／五官掾南鄭／

屬，職官名。是與『五官掾』、『書佐』相類的屬吏。見鄔文玲《讀『漢三頌』札記》考證。

鼂：同『晁』。

趙邵字季南，／屬褒中鼂漢／

書佐：是主掌文書的佐吏。

成：這裏用作『城』。

主：指主事。通觀文意，此刻石記頌之事應當由太守王升發起，由五官掾趙邵、屬（官名）晁漢强、書佐王戒三人共同主持完成。根據漢代書佐的職能推斷，此刻石的書寫者應該是王戒。

彊字産伯，書／佐西成王戒／

府君：漢代對王國相、太守等的尊稱，後世仍沿用。

閔：『憫』的古字。

字文寶主。／王府君閔谷／

道危難，分置／六部道橋，特／

行：官制用語，在漢代表示代理官職。至唐宋以後，凡高級散官出任低級職事官者稱『行』，含義有變化。『丞』在此處是州郡長官的副職。

朖：同『朗』。

遣行丞事西／成韓朖字顯／

公、都督掾南／鄭魏整字伯／

玉：漢隸中『王』、『玉』、『壬』三字比較難以分別，通常末橫長而中橫偏高的是『王』，末橫長而中橫居中的是『玉』，中橫長而居中的是『壬』。『王』和『玉』的區別有時須看文意。

玉。後遺趙／誦字公梁、／

案察中曹／卓行，造作／

蘔：前人多以爲通『積』。《康熙字典》：『蘔，《集韻》：子智切，音觜，草名。又《類篇》：草積。又《字彙補》：古與積字通。漢隸碑：萬世之基。』此處所引就是《石門頌》，但截句有誤。高文《漢碑集釋》亦以爲通『積』字，認爲『石積』指石倉，倉中儲備柴米，供行路者使用。

石積，萬世／之基。或解／

格：通『閣』，即閣道，棧道。高閣：指建在高處的棧道。

高格，下就／平易，行者／

欣然焉。／伯玉即日／

守：官制用語。在漢代表示官吏試用，通常期限爲一年，一年後考核合格，正式除授則稱『真』。但唐宋以後『守』字在官制中表示低級散官攝任高級職事官，與『行』相對。
長，秦漢時治萬户以上縣者爲令，不足萬户者爲長。

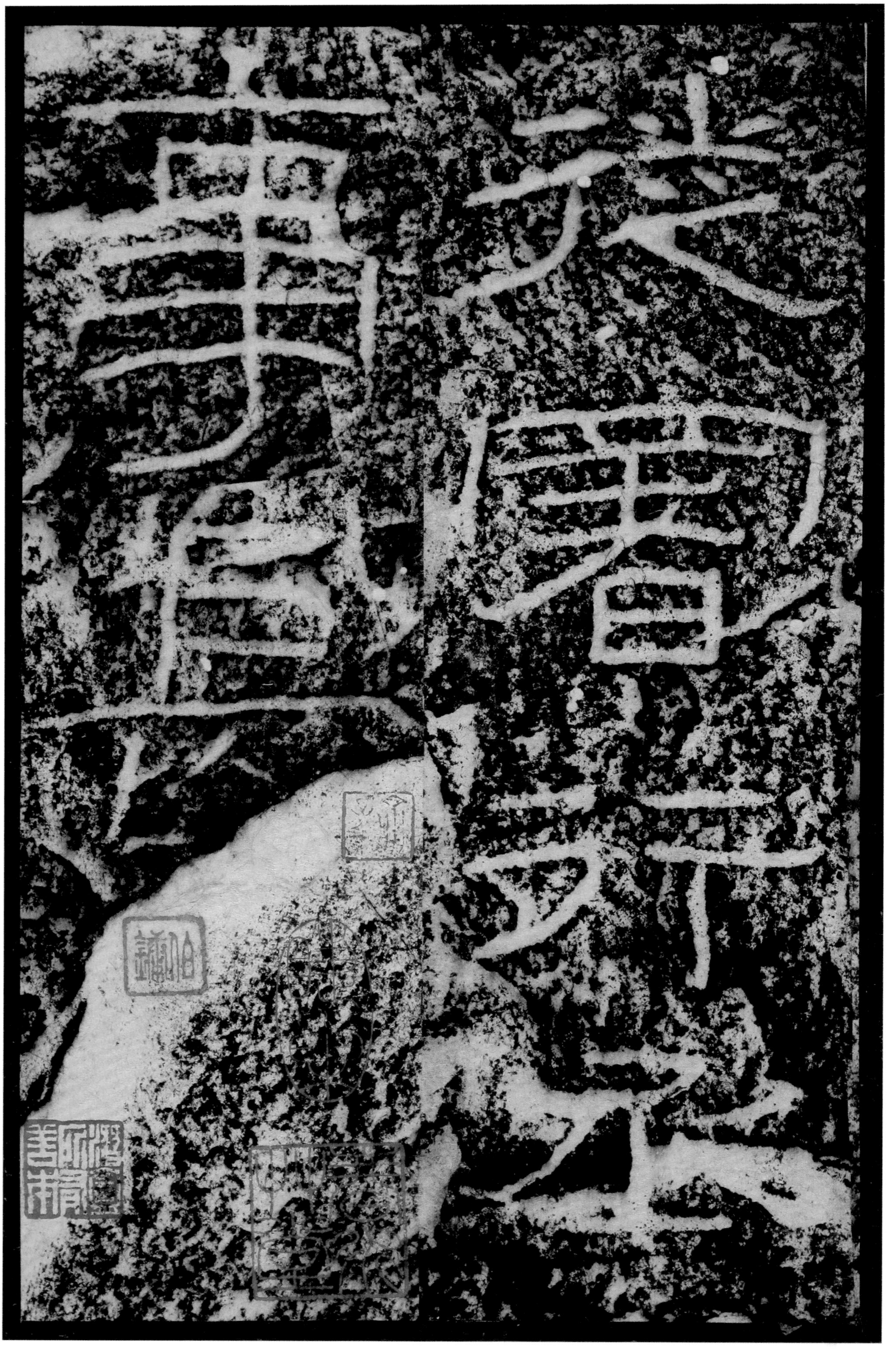

徙署，行丞∕事，（守安陽）長。∕

此碑字跡密不齊洪氏隸續謂高祖受命命字垂筆甚長今驗精拓本命字末筆其駐處實止數分下當石裂故空二字耳蘇齋

既辨為石理剝裂而仍指為
雲下似未盡也曩見張松坪
宋拓懋本肥澤圓勁與淡
墨本亦精神迴出
斗廬先生見示歎賞旬日
而歸之乙丑三月翁同龢記

石門頌書法縱横勁拔古茂可喜石刻於建和二年尚在孔廟韓勑諸碑之前而褒斜山谷地處幽僻人所罕到椎拓爲難故石能保永久非若孔廟諸碑終日摹拓剝蝕益甚耳是拓字畫皆方精神結構絲豪不爽數百年前佳搨可寶也

斗盧先生屬題漫書數語即希

正是 辛丑六月古婁俞宗海時客吳門

歷代集評

其行筆真如野鶴閑鷗，飄飄欲仙，六朝疏秀一派皆從此出。

——清 楊守敬《平碑記》

《楊孟文碑》（《石門頌》）勁挺有姿，與《開通褒斜道》疏密不齊，皆具深趣，碑中『命』字、『升』字、『誦』字垂筆甚長。

——清 康有爲《廣藝舟雙楫》

《郙閣》、《夏承》等爲隸中之篆；《張遷》、《孔彪》等爲隸中之楷；《楊孟文》（《石門頌》）等爲隸中之草。

——清 康有爲《廣藝舟雙楫》

三百年來習漢碑者不知凡幾，竟無人學《石門頌》者，蓋其雄渾奔放之氣，膽怯者不敢學，力弱者不能學也。

——清 張祖翼

《石門銘》筆意多與《石門頌》相近，彼以草作隸，此以草作楷，皆逸品也。

——梁啓超

是刻書法勁挺有姿致，與《開通褒斜道》摩崖隸字疏密不齊者各具深趣，推爲東漢人傑作。

——由雲龍《定庵題跋》

《司隸校尉楊君石門頌》，隸書，建和二年十一月刻，瓌偉宕逸，漢碑之翹楚也。

——祝嘉《書學史》

圖書在版編目（CIP）數據

石門頌/上海書畫出版社編.—上海：上海書畫出版社，2011.8

（中國碑帖名品）

ISBN 978-7-5479-0259-2

Ⅰ.①石… Ⅱ.①上… Ⅲ.①隸書—碑帖—中國—東漢時代 Ⅳ.①J292.22

中國版本圖書館CIP數據核字（2011）第148569號

中國碑帖名品［九］

石門頌

本社 編

責任編輯 馮 磊
釋文注釋 俞 豐
審　　定 沈培方
責任校對 郭曉霞
封面設計 王 峥
整體設計 馮 磊
技術編輯 錢勤毅

出版發行 上海書畫出版社
地址 上海市延安西路593號 200050
網址 www.shshuhua.com
E-mail shcpph@online.sh.cn
印刷 上海界龍藝術印刷有限公司
經銷 各地新華書店
開本 889×1194mm 1/12
印張 7 1/3
版次 2011年8月第1版
2021年5月第11次印刷

書號 **ISBN 978-7-5479-0259-2**
定價 **55.00元**
若有印刷、裝訂質量問題，請與承印廠聯繫

版權所有
翻印必究